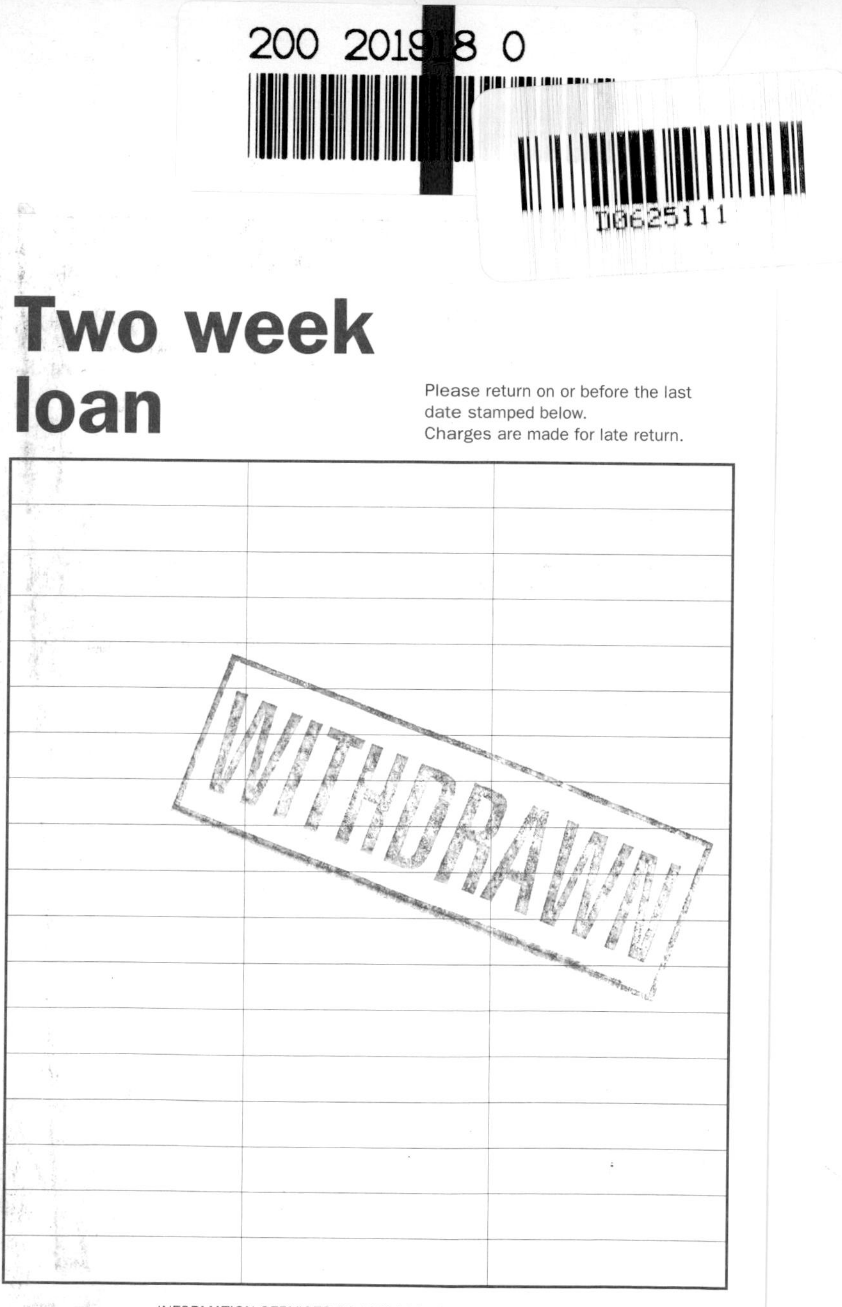
Two week loan
Please return on or before the last date stamped below.
Charges are made for late return.
WITHDRAWN
IS 239/0799
INFORMATION SERVICES PO BOX 430, CARDIFF CF10 3XT

À FRANÇOIS-JOSEPH II
PRINCE SOUVERAIN DE LIECHTENSTEIN

VENT DES HUNS

IL A ETE TIRE DE CET OUVRAGE 700 EXEMPLAIRES SUR VELIN BOUFFANT, SORTIS DES PRESSES DE L'IMPRIMERIE CH. CORLET, A CONDE-SUR-NOIREAU, QUI CONSTITUENT LA PRESENTE EDITION ORIGINALE

CLAUDE COTTI
PRESIDENT DE LA SOCIETE ACADEMIQUE
DES ARTS LIBERAUX DE PARIS

VENT DES HUNS

ŒUVRE HUNNIQUE

SOCIETE ACADEMIQUE DES ARTS LIBERAUX
DE PARIS
MCMLXXV

AVERTISSEMENTS

1° PROPRIETE - L'Association garantit par ses Statuts à tous ses membres la libre disposition des œuvres qu'elle publie. Ceux-ci déclarent accepter les conditions de l'Association, lui donner leur autorisation de reproduction dans sa collection et la garantir contre tout recours de ce fait, même en cas d'appel en garantie et de pluralité de demandeurs, si les auteurs se sont dessaisis des droits sur les œuvres publiées ici, que l'Association ne saurait revendiquer. Seuls les membres de l'Association peuvent être publiés par elle.

2° COMPETENCE - Les personnes dont le nom, après avoir figuré sur les listes publiées dans les précédentes publications, ne figure plus dans le présent volume, ne peuvent ignorer qu'elles ont, par leur silence, abandonné l'Association. Tout usage de leur nom les présentant comme membres actuels de l'Association n'est pas conforme à la définition de la délicatesse pratiquée par les membres et, en cas de refus de rectification et de cessation de cet usage, expose à tout recours de droit, aucune dérogation antérieure de fait ne pouvant faire novation.

3° USAGE - L'Association n'accorde son patronage à aucun envoi systématique à ses membres de bulletins de souscription, d'abonnement, de participation, d'admission et autres demandes d'argent au profit ou en faveur de tiers, même membres de l'Association. Les demandes de l'Association doivent émaner du Président, et avoir pour seul but de faire connaître l'œuvre ou d'honorer la personne des membres. Conformément aux Statuts, le Président ne peut déléguer ses pouvoirs qu'à la Secrétaire Générale et au Trésorier Général.

4° RECRUTEMENT - Toute personne qui se croit un talent d'écrivain ou d'artiste peut adresser une demande au Président, qui examinera l'œuvre ainsi soumise avec compréhension et discrétion. *Quoique sans obligation de périodicité, l'appartenance à l'Association est réservée à ceux qui ont publié dans sa Collection ou qui ont des intentions précises de le faire.*

ISBN 2-85305-051-3

SOCIETE ACADEMIQUE DES ARTS LIBERAUX DE PARIS

Association culturelle sans but lucratif
Déclarée à la Préfecture de Police de Paris sous le n° 62/1160

Editeur ISBN 85305

« Le Panoramique », 3, avenue Chanzy
94210 La Varenne-Saint-Hilaire
(Commune de Saint-Maur-des-Fossés, Val-de-Marne, France)
Téléphone : Paris (1) 283-36-03

Dans la même collection
OUVRAGES DE CLAUDE COTTI

Les Cris du Silence
Préface de † Pierre Mac-Orlan,
de l'Académie Goncourt.
ISBN 2-85305-002-5

Dunes et Marais
ISBN 2-85305-003-3

Bouquet d'écume
ISBN 2-85305-004-1

Poèmes du Tour du Monde
Illustrations de l'auteur.
ISBN 2-85305-001-7

Les Voies de l'Homme
ISBN 2-85305-005-X

Satires et le reste
ISBN 2-85305-006-8

Le Manche du flambeau
ISBN 2-85305-007-6

Chemin des berges
ISBN 2-85305-008-4

Port en destin
ISBN 2-85305-009-2

Si l'on ne crie
ISBN 2-85305-010-6

Recueil de disettes
ISBN 2-85305-011-4

La Muse sur le sable
ISBN 2-85305-012-2

Le Cœur de Méduse
Illustrations
de Rosa-Maria Donato,
Préface de Marguerite Zünd.
ISBN 2-85305-013-0

Chansons à ne pas boire
ISBN 2-85305-014-9

Platonique
Illustrations de l'auteur.
ISBN 2-85305-015-7

La Corne d'Or
Illustrations de l'auteur,
de Rosa-Maria Donato
et de Lilia-A. Pereira da Silva.
ISBN 2-85305-016-5

Les Excès de Xerxès
Illustrations de l'auteur,
de Rosa-Maria Donato
et de Lilia-A. Pereira da Silva.
ISBN 2-85305-017-3

Jusqu'à la garde
Illustrations de l'auteur.
ISBN 2-85305-018-1

Les Requins d'eau douce
Illustrations de l'auteur.
ISBN 2-85305-019-X

Traits pour traits
Illustrations de l'auteur.
ISBN 2-85305-020-3

Par Mont Parnasse et Vaux de Vire
Illustrations de l'auteur
ISBN 2-85305-048-3

Le Diplôme d'Ochus
Illustrations de l'auteur.
ISBN 2-85305-049-1

L'homme descend du Sphinx
Illustrations de l'auteur
ISBN 2-85305-050-5

Ouvrages préfacés par CLAUDE COTTI

ALICE COTTI

Sans perdre mon Latin, Illustrations de Claude Cotti.
ISBN 2-85305-021-1
Nouvelles du Pays, Illustrations de Claude Cotti.
ISBN 2-85305-022-X
Poing à la Ligne, Illustrations de Claude Cotti.
ISBN 2-85305-023-8

LILIA-A. PEREIRA DA SILVA

Fleurs de Lilia, Illustrations et Adaptation de Claude Cotti.
ISBN 2-85305-025-4

ROSA-MARIA DONATO

Palette Calabraise, Illustrations de l'auteur.
ISBN 2-85305-026-2

ANTHOLOGIE DES SOCIETAIRES

Avec tous les Membres du Comité Central
ISBN 2-85305-024-6
FR ISSN 0081-072X

Rosa-Maria Donato

PREFACE

Pour la vingt-quatrième fois, et la vingt-cinquième si l'on compte ma brochure sur l'Art d'écrire, je connais la joie, et le privilège, de présenter à mes fidèles lecteurs une œuvre de moi, dans cette collection qui m'est chère dont elle constitue la cinquante et unième parution, en vingt et un ans d'activité ce qui prouve qu'elle est majeure, cependant que ma chère Association, qui lui sert désormais d'éditeur, atteint ses treize ans. De tous les compagnons de départ, combien ont lâché, mais il vaut mieux être seul que mal accompagné, et la présence de ceux qui restent m'est d'autant plus précieuse ; de même des lecteurs, constitués moins désormais de personnalités que de bibliothèques, parmi les plus grandes, dans le monde entier, et plus particulièrement, à l'étranger, de bibliothèques universitaires, là où se cultive le Français, car si l'Art n'a pas de patrie, il n'en est pas de même de la Littérature, ce qui demande aux meilleurs un effort d'adaptation. Qu'ils en soient remerciés, et qu'ils sachent combien leurs attestations me sont précieuses, pour avoir le courage de poursuivre cette œuvre de bien, dont les publications sont ainsi diffusées gratuitement dans le monde entier, afin d'aider la jeunesse et de promouvoir la culture, et ce, à compte d'auteur fonds perdus, auteurs prévenus d'avance. Ici, ce sont donc les lecteurs qui sont aidés, et non les auteurs : chacun sur ce point doit trouver sa conception du devoir où il le désire, et sa définition du rôle, de l'auteur, face à la foule ; telle est la nôtre. Il n'est pas nécessaire d'être riche pour ce faire, mais de le vouloir, avec priorité absolue sur le confort de la vie.

Depuis les origines, même aux temps de la littérature orale préhistorique, l'auteur a eu une place importante dans l'histoire des idées, qui profitent d'abord à lui et à sa gloire, car le pauvre bougre n'en voit pas pour autant son destin obscur changer du jour au lendemian, ni même forcément en plusieurs générations, même si la pensée est ce fameux levier, ce roseau pensant qui soulève l'univers. Elle a d'abord un substrat matériel, le corps de l'homme, et ses organes des sens, qui lui permettent de communiquer avec l'extérieur, et, par contre coup, de forger l'opinon, son opinion ; c'est là que la réaction chimique débouche sur le mental, quand elle n'est pas viciée par une maladie appropriée, un dérèglement de glandes à sécrétion interne, si importantes. Mais ces sécrétions, et d'autres encore, plus intimes, dépendent de l'univers zodiacal, c'est-à-dire de la disposition des astres dans un coin du ciel, et de leur capacité à émettre ou à attirer des rayonnements, et à créer des périodicités vitales ; c'est ainsi que les treize mois de l'année lunaire, qui ont lieu dans le même temps que les douze mois solaires connus, ont une influence sur les marées, et sur les fonctions reproductrices de la femme.

Mais l'espèce humaine, elle, commet l'acte sexuel volontairement, en toute liberté, toute l'année, et n'est une bête que si elle le veut bien, en ne se dominant pas ; c'est là la vraie liberté, la liberté du corps, mais aussi de l'esprit, l'appel du libre-arbitre, face à l'animal qui, lui, voit ses fonctions reproductrices étroitement soumises au rythme saisonnier, dont il ne peut s'abstraire, sous peine de troubles graves, de dégénérescence, de domestication ou de parasitisme, si même c'est possible. En réalité, plus que la faculté de manger des aliments chauds et de réduire ainsi le prognathisme au profit du cerveau, c'est là que se situe le départ de la séparation entre l'homme et l'animal, qui engendre la société perfectible, avec l'institution du mariage, d'où le prêtre, la religion, le dicastère, puis l'État, et les oppositions, d'où la philosophie, le sport, la guerre.

Et le besoin de s'expliquer qui fait passer du dessin à l'écriture ; d'où le pouvoir judiciaire, et le législatif, après l'exécutif. Mais les grandes religions, qui se croient révélées parce qu'elles ont perdu la trace de leurs origines, ont créé, et entretenu, des courants d'humanisme constant, des façons de sentir, de juger et d'admettre, de fomenter, de vivre, de comprendre et de croire. Aussi, la part du libre-arbitre, avec les mêmes organes des sens, dans la même espèce et sur la même planète, a-t-elle pu conduire à des évidences distinctes, qui, du haut de leur procédé de convaincre qu'elles croient seul valable, ont dû, pour ne pas périr par la guerre et la ruine, s'élever jusqu'à la tolérance, ennemie des purs et acceptée de mauvais gré par une masse indifférente qui en comprend peu à peu la valeur sous les coups qu'elle subit.

La perception du monde à travers des sens particuliers nous donne une forme d'intelligence que nous prenons pour la vérité, mais qui n'est que l'expression d'une intelligence particulière, d'une sensibilité donnée qui possède ses limites, fussent-elles plus ou moins élargies selon les individus. Cela nous donne une représentation du monde dont la représentation visible peut être une forme de vérité dans un cadre spécifique, mais dont le détail, tout ce qui fait la compréhension de la vie et de l'objet, l'intellect agent, n'est qu'un dogme logique par rapport à lui-même, et par rapport à lui-même seulement, et non par rapport à une conception plus vaste et plus juste du beau et du vrai. Cet à-priorisme déficitaire de la vérité et de la recherche pure est particulièrement sensible dans le concept philosophique de toutes les religions révélées, qui supposent pour le moins que Dieu est apparu pour le plus grand bien de l'humanité de l'une des plus petite planètes qui soit, la Terre, ce qui est pour le moins hardi. Si ce que l'on appelle Dieu se voit attribuer, par le raisonnement, les mêmes attributs que ce que l'on peut aussi appeler le néant de l'athéisme, pour en faire le même centre, le même Tout de notre compréhension, et, par là même, sa limite, la croyance en Dieu et sa négation sont une seule et même chose, même si les gens incultes, qui croient pratiquer une religion, se battent à mort pour couvrir le pavillon de tel dogme ou l'étiquette de telle croyance. C'est là affaire de philosophie, plutôt que décision de théologien. La recherche est plus profonde qu'une vérité politique.

Si sept est le chiffre particulier qui permet à l'Homme-Mammifère de la Terre de comprendre le monde, il faut parvenir jusqu'à la septitude et ne pas se contenter de trois dimensions sur sept, cinq sens sur sept, une trinité ou trois archanges sur sept, etc. afin d'aller jusqu'à la limite de notre intelligence, à défaut de la dépasser. Alors nous verrons que les trois dimensions de la géométrie explorée sont seules soumises à la pesanteur terrestre, et que les autres expliquent les mouvements du cosmos, du moins jusqu'où des mammifères intelligents, peuvent aller, que les deux sens momentanément cachés peuvent être la télépathie et la prémonition, que les rats remontant sur le pont d'un navire avant qu'il ne coule pratiquent, que le Dieu-Néant ne peut pas avoir que trois attributs s'il veut être autre chose que le dieu de la troisième planète inférieure du Soleil, mais sept hypostases s'il est bien notre représentant dans l'univers, quelle que soit sa quiddité et notre haeccéité, jusqu'au septième ciel.

Naturellement, s'il existe, protégé par son atmosphère de titane, un Homme-Reptile de la planète Titan, le plus gros des satelittes de Saturne, pour le cas où la classe des Reptiles serait parvenue jusqu'à l'humanité, jusqu'à l'intelligence, contrairement à sa tentative avortée sur la Terre aux temps géologiques du Secondaire, cet homme-là, cet homme vert sous ses écailles et ses saisons hibernales, sans la tendresse particulière qu'a le mammifère vivipare par rapport à l'ovipare forcément plus retenu devant son œuf, cet homme donc comprend peut-être l'humanité et le cosmos au moyen du chiffre neuf, tout aussi efficace sans doute, mais qui ne donne pas, dans son développement, la même compréhension que le sept.

Le monde, comme vérité et comme représentation, est un leurre, dont le tout nous échappe, mais dont le Tout seul vaut la peine, la jungle de l'argent, en passant par le new deal et Bretton Woods n'est qu'un sentier qui ne peut donner ni bonheur, ni puissance, ni sagesse et surtout, ni lutter contre la corruption et la pollution, qui menace notre planète de dessication comme elle menaçait Titan, seul un idéal, qui justifie une façon de vivre, par la tolérance et l'entraide, et non par la férocité et l'indifférence, est assez élevé, assez cohérent, assez justifié pour susciter de la liberté assez de discipline pour qu'elle prenne le goût de se préserver, avec la conscience de représenter, mieux que le cynisme au profit immédiat, une chance à préserver du Beau, du Bon et du Vrai.

CLAUDE COTTI
Président de la Société Académique des Arts Libéraux de Paris

VENT DES HUNS

I

Les injures sont les arguments
de ceux qui ont tort.

VENT DES HUNS

Œuvre hunnique

I

Depuis le fond des temps, depuis l'âge héroïque,
Comme les éléphants au Soudan nostalgique,
L'homme, cet animal de terreur, a marqué
La steppe, la forêt. Partout, c'est indiqué,
Dans les récits fameux de la guerre perdue,
Dans le souvenir bref de la fuite éperdue,
Et toujours le destin a recouvert la mort,
L'os, blanchi par le sable, oublie un autre sort,
La cohorte sortie appelle quelque horde,
L'astucieux aède affine son exorde,
Pour la colère sainte ou le trop vain courroux,
Pour élever la gloire et meurtrir les genoux,
Pour sentir, sur son char, qu'un vaincu le respecte,
Pour mourir à loisir en bénissant la secte !
Ah ! que le pur clairon entonne ses chants sourds,
Et l'homme en son combat danse mieux que les ours,
Le cri trop éclatant n'est pas seul à l'oreille
Pour que se tende un poing sur la trace vermeille !

Oui, la victoire en vain apaise le vainqueur,
Quand on a trop goûté de sa triste liqueur !
Déjà de tout cela se rit le philosophe,
Qui bâtit sa doctrine ainsi qu'un saint Christophe,
Qui prédit l'univers en constatant l'échu,
Qui meurt de se prédire en serrant son fichu,
Pauvre par son soupir et par sa parabole,
Dont il inonde un champ pour en faire une obole !
Qu'il est triste le temple où l'on ne prédit rien,
Sinon pour Pénélope ou bien pour Adrien,
Mais le peuple, ignorant de ce nœud gordien,
Se prépare à sarcler, ou, docile soutien,
Pour le dogme se lève en désolant la crypte,
Et son fleuve hurleur fomente une autre Egypte,
Cependant que le ciel, inhabile ou serein,
Se moque de l'apôtre et de sa corde au rein ;
Il regarde élever, sous le soleil avide,
Futile en son orgueil, l'austère pyramide,
Et se rit de l'énigme où se complaît le Temps,
Scintillant de plaisir, là-bas, sur les étangs :
Mais le fleuve de boue agace la lagune,
Pour une autre moisson, de ferveur opportune,
Le peuple de la mer tire : à l'âme ! Immortel
Est son cri sous le fer que l'on veut sage ou tel.
Oui, seul le noble était digne d'une survie,
Le vulgaire en émoi mourait de pâle envie
Et se ruait sur ceux qu'un prêtre éternisait,
Disant son désespoir à ceux qui prédisaient
Qu'il mourrait dans la mort au creux du cimetière,
Sans plus aller au ciel. Ah ! la terreur entière,
Qui poussait bonnes gens à s'élever ainsi
Contre le monde terne en la terreur transi !
Ce fut une conquête en tous points sociale,
Pour laquelle on périt, pour une mort moins sale
Que celle de la bête au destin passager,
Qui supporte à l'envi l'outrage et l'étranger.

Que l'on rirait, hélas, aujourd'hui, sur la terre,
De se tuer gaiement pour la chose. Misère !
Le monde pour l'athée a déserté ses dieux,
Ses légendes. Héros qui buvaient sans adieux,
Riez, si le pouvez, du monde qui, sans prêtre,
Adore le néant, s'incline sous le reître,
Et, ne pouvant survivre à son illusion,
Meurt de haine, mais oui, pour une allusion,
Ayant perdu soudain l'antique tolérance
Qu'il croyait retrouver en mordant la souffrance !
Le croyant, lui non plus, ne s'est vu moins cruel,
Mais c'est pour un espoir et non pour un scalpel,
La vieille boucherie, ignorant la science,
N'a jamais su créer, même la conscience,
Qui chemine en secret au-delà de l'espoir,
Mais qui doit, pour rester, ne pas se laisser voir.
Ah ! lc culte secret peut bénir le mystère,
Appeler le croyant pour une vie austère,
Or, l'homme, dans son cœur, veut un vrai tribunal,
Et non le décret lourd, habituel, banal,
Il veut saisir le vrai pour connaître l'outrance,
Pour condamner le cri suborneur de souffrance,
Pour aimer une femme, et, sans permission,
Ne pas trop s'avilir d'atroce mission,
Il ne veut par marcher à l'édit chrysogomphe,
Qui n'est avantageux que pour l'épris du romphe,
Il veut que l'on respecte un peu les innocents,
Et cessent de couler, en torrents, de noirs sangs,
Où pour mieux reconnaître où se meurt sa famille,
Il doit se convertir au coin d'une charmille,
Sans savoir si le dieu qui se rit de son cri,
Est l'ami de Médor, d'Athanase ou d'Henri.
Mais il veut le savoir ! Pour aimer le prophète,
Qui recherche vraiment qu'on le supporte au faite,
Le vulgaire aime bien connaître son discours
Et discuter soudain de son divin recours,

Car, loin d'un sort meilleur, il reste le spectacle,
Oui, loin du paradis, le terrestre habitacle
S'anime de promesse. Approche-toi, veux-tu,
S'il en reste, crois-moi, tout comme le fétu,
Vous pourrez y tremper, homme de bien, de paille,
Chevalier d'industrie, amateur de ripaille,
Gros ventres affamés du creux d'un mirliton,
Pauvre bougre vaincu qui ne sait plus le ton,
Innocent qui croit voir un seigneur à sa table,
Trop malin qui sait trop la teneur véritable,
Oui, tout ce monde las de la morosité,
Court après la recette ou bien la vérité.
La vérité ? Le temps, savamment n'en a cure,
Il contemple le monde et ne sait ce qui dure,
L'âme de tous, enfin, est pour le paradis,
Mais la condition veut plus d'un fier radis,
Et l'on paie encor plus, pour gagner l'indulgence,
Mais le pauvre est bien las de toute cette engeance.
N'importe ! Il va payer ! Déjà, le mendiant
Au parvis de l'église a su montrer la dent !
Qui ne paie est damné ! Sur le carreau du temple,
Un Jésus qui se cache, en vain, hélas, contemple
Ce qui se vend, s'achète et se discute ici,
Ce qui vaut tant, le mou, le dur ou le ranci.
Pendant ce temps, l'amour, en exaltant la femme,
D'elle ne cachait rien, et le jaloux infâme
Critiquait l'art superbe et libre sous les cieux
Pour cracher sur la grâce, le corps délicieux
Que le sculpteur épris de beauté montre et courbe,
Sans s'occuper du cri de l'envieux, du fourbe.
Mais le culte, étendant son dogme à l'horizon,
Inventa pour le corps du voile la prison,
Créant ainsi le vice et l'appel de luxure
Pour retrouver ce que l'on cache sous la bure.
La crainte satanique envahit le portail,
La gargouille tordue attisa le détail,

Et les démons, fervents de rite populaire,
Eurent sous le parvis leur culte solitaire.
Alors, on alluma le bûcher tout sanglant,
Pourfendeur d'hérésie, à l'atroce relent,
Quand le siècle barbare, en rumeur d'amertume,
Eut, pour mieux se cacher, le bourreau sous la brume.
Mais la terreur antique étalait ses remous,
Le prince, trop lointain, ignorait ces bruits mous,
Cette plainte maussade issue en la souffrance
Du peuple qui priait sans avoir d'assurance
Pour sa vie et son corps, et son âme, et son nom,
Lui dont le sanglot noir du désespoir dit : non !
Qui pouvait triompher, dans la plaine, à l'église,
De la sentance austère ? Il faut qu'on le redise,
On tuait doctement pour faire le salut
De l'homme torturé, mais qui jamais ne lut
Par la discussion, la clé du théosophe,
Du théologien, d'Abélard, saint Christophe,
Du maître de chapelle, ou conducteur de char,
Sûr de bonne raison, qu'il faut manger le bar,
Le grondin, vendredi, sous peine qu'on vous brûle
Comme fétu de paille au vent qui passe, ulule
Et n'efface jamais, au coin du boulevard,
L'odeur, l'atroce odeur de souffrance et de lard !
Alors, pour que l'on naisse au rythme égalitaire,
Et qu'on repousse un peu de crime sur la terre,
Il fallut de nouveau la révolution,
Beaucoup de sang versé pour une notion,
L'échaufaud remplaça l'antique échafaudage,
Mais, dégoûtant de sang, convainquit l'esclavage
De reculer un peu. Le cri des condamnés
Au carrefour tombait. Malheureux d'être nés !
On arrosait ainsi l'appel aux droits de l'homme,
O bourreau barbouilleur de lois, qui les renomme,
Disait une victime en tombant sous le coup,
Car les têtes giclaient, il en tombait beaucoup !

Mais l'homme enfin naissait libre, égal dans sa chance,
Comme il mourut jadis, sous l'antique relance.
Et ce fut tout. La rage au destin s'apaisa,
Discret, le temps coula, comme eau d'alcaraza,
Nul ne fut plus heureux de par un beau principe,
Pas plus qu'ancienne fois, où chacun participe ;
On rentra donc chez soi pour bénir le destin,
Heureux d'être vivant, ou sonner le tocsin.
Chacun se réclama d'un but démocratique,
Appliquant pour autrui la ferveur socratique,
Et l'on jacassait tant, sous le ciel alité,
Qu'on crut bien tenir là la vraie égalité !
Mais le pauvre criait toujours, hélas, famine,
Il n'était pas heureux malgré sa bonne mine,
Malgré la théorie où l'on avait tout fait,
Où l'on n'empêchait pas la misère, qu'on hait !
Sans savoir bien pourquoi, dans sa chair qu'on canonne,
Il ne retrouvait pas la ferveur qui pardonne,
Et la raison du riche était pour le vaincu
Comme un trône lointain ; pas du tout convaincu,
Il marchait de nouveau comme on marche en la vie,
Quand les godillots neufs au cor seul font envie,
Il ne savait plus trop qui croire. Un dieu partait,
Tant d'autres étaient là, qu'on aime ou que l'on hait.
Ah ! pouvoir s'arrêter, pouvoir se satisfaire
Sans faucher les espoirs à n'en savoir que faire,
En bouquet d'amertume au banquet du destin,
Où l'on donne sa tête en le petit matin,
Mais toujours les prêcheurs survenaient pour qu'on prêche,
Pour qu'on nourrisse un culte à la ferveur revêche,
Promettant que sur terre enfin le paradis
Descendrait. Foi d'apôtre ! A vous seuls je le dis !
Ainsi vivaient gaiement les tireurs de sonnettes,
Témoins de quelque chose, ou vendeurs de sornettes.
Chaque bible coûtait ce que coûte l'espoir,
Quelques sous et beaucoup de regrets chaque soir.

L'humanité croissait, surtout pas en sagesse,
Et comptait calmement du voisin la détresse.
Ah ! oui, que l'homme vive, enfin, égal en droit,
A son voisin, sans être un peu trop à l'étroit,
C'est le dernier volet de l'étrange aventure
Qui nous vit dominer sur toute la nature,
Promenant l'animal et lui donnant la mort,
En faisant un esclave au trop maussade sort !
Mais qu'il ne reste pas sur la terre maudite,
Le seul être vivant, cet homme en commandite
De l'univers, qui meurt si l'on ne l'aime pas,
Si l'on tire trop fort sur ses fameux appas,
Nés du temps où le monde était un héritage
De l'arbre, de l'oiseau, sans maison, sans étage,
Et non de la fumée où le moderne évent
Tousse jusqu'à mourir en regrettant avant !
Avant ! C'était l'image où le paisible monde
Ne revendiquait pas, où la branche s'émonde
De vieillesse, en mourant avec son dernier fruit,
Où l'animal vaincu ne faisait pas de bruit
Pour laisser sur la terre en un coin son cadavre,
Ignorant une larme où notre cœur se navre.
Alors, qu'il faisait bon, sans naître, sans mourir
Pour un droit, simplement, de vivre sans soupir,
Mais il aura fallu la promesse de l'homme
Pour qu'on lutte et décroche, oh, si peu, cette somme,
Après tant de souffrance, après tant de raison,
Que la fumée attaque encor cette oraison
Dans le souffle maudit de la maudite usine
Qui tue, en déversant au monde sa gésine.
Ah ! cet accouchement nous promet-il un dieu,
Ou, sur le vieux rocher, enfin un autre adieu,
Afin que recommence un autre Prométhée
Ou que succombe alors cette terre entêtée ? !...
Nul ne le sait... La gucrre est sur les continents
Le monstre trop nourri des sages continents

Qui retiennent trop peu leur antique sagesse
Quand le monde, ô vieillards, meurt par votre détresse,
Qui ne peut s'arrêter, dirigeants malheureux,
Puisque vous le voulez ! Et nous mourons par eux,
Les chefs, les bien nantis, les jaloux de la terre,
Qui discutez pour nous quand on se désespère !
Alors, on rénova les institutions,
Afin de démontrer à toutes nations
Qu'elles devaient nourrir leurs enfants. Qu'on le dise !
A tous les malheureux, il faudra qu'on le lise !
Que la faim sache bien que l'on ne l'aime pas,
Ah mais ! Que le destin soit rond sous ses appas,
Puisque, par le décret, on résout l'amertume
Et que ceux qui mourront se cacheront. Qu'on hume
Le bon parfum des lois qui nous veut sans tourment.
S'il reste un malheureux, c'est un homme qui ment.
Les pauvres calibrés recevront la pitance
S'ils ont rempli la feuille indigo puis garance,
Sans laquelle ils seront de nouveaux parias,
Et l'auront mérité. Calibrés arias
Pourront seuls nous chanter leur commode misère,
Mais les cas non prévus, hors du questionnaire,
Iront mourir enfin au coin du boulevard
Car rien ne doit rester de qui vit par hasard.
Et la bonté repue ainsi que confiture
Ne reconnaîtra plus du destin l'aventure ;
Qui ne peut satisfaire à l'ordre du guichet
Au coin des lois mourra comme un banal déchet,
Il devra tout payer même s'il est infirme,
Et le pauvre classé lui-même le confirme,
Oui, seul il aura droit d'être enfin secouru,
Puisqu'il aura rempli son papier. C'est couru !
C'est parfait, bonnes gens, on ne peut davantage,
Comme tout paradis, il comporte un étage,
Car celui qui ne peut décemment plus pleurer
N'est pas digne de voir la charité garer

Son cas, qu'on numérote ainsi que grosseur d'huître,
Rejetant à l'amer toute taille sans titre.
Ainsi le jugement sera juste et nul dieu
N'a fait mieux pour son peuple, en éternel adieu !
Que c'est beau de servir enfin cette justice,
Du procès, du guichet, du légal artifice,
Celui qu'on abandonne aura quand même droit
Qu'on le quête, en la rue, en un mépris adroit
Dont il pourra sentir enfin son imposture,
Venue au fonds des temps par commode posture,
Lui valoir la leçon de tous les gens repus
Qui ne veulent surtout pas être interrompus.
Oui, par leur paradis, les dieux que l'on vénère
Rejetaient les maudits, ceux que l'on désespère
Parce qu'ils n'ont pas su bien plier les genoux,
Parce que leur œil luit par-dessous les burnous,
Parce qu'ils n'aiment pas qu'un prêtre moralise
Pour eux, leur imposant et l'office et l'église,
Parce qu'ils aiment voir et ne sont convaincus
Ni par les morts hideux, ni des cris des vaincus,
Qu'ils veulent librement garder leur libre arbitre,
Qu'ils ne veulent d'autel où le pauvre est un pitre,
O liberté superbe, effarante et sans nom,
Contre quoi le crime est le crime, face au non
De celui qu'on convainc autrement que de force,
Qui n'est pas forcené ! Mais plus rude est l'écorce,
Plus belle est la raison qui soumettrait le cœur,
Plus belle est la prière et plus pur est le chœur...
Allons, ne divaguons pas sur cette avenue
L'idée en est trop faible et se verrait bien nue,
S'il fallait l'exposer à chaque carrefour,
Quand, dès le pronaos, on entre dans un four.
Si vous ne voulez pas de ma propre croyance,
Mourez ! disait un chef au bras plein de vaillance,
Et ce mot a plus fait pour les conversions
Que les discours subtils, les conversations

Du péripatétique ardent sous les colonnes
Au mystère mûri qu'ô sage, tu raisonnes !
Mais le terrestre don, qu'homme, tu ne perdis,
D'écouter te promettre un prochain paradis
Sous le prêchi-prêcha de sociale escrime,
Est, dans son espérance, ainsi que l'ancien crime,
Un leurre, pour lequel on combat et l'on meurt
Comme pour le vieux dieu mort de l'antique heurt,
Car le tri qui se fait, de celui qui mérite
Laisse pour le maudit le chagrin qu'on médite,
Oui, toujours la balance active l'avenir,
Son plateau, du mauvais ne se peut que honnir,
Seul le bon, triomphant de l'ancestrale haine,
A droit qu'on le cajole et qu'on porte sa peine,
L'autre, le pas d'accord, l'infirme du guichet,
Qui ne sait pas marcher, qui, pas mieux que déchet,
Remplira la formule et le questionnaire,
Est passible d'amende, et le gestionnaire
Ne peut le secourir du coin de cette loi,
Même s'il a trop faim, il n'est de bon aloi,
La morale, au tarif comme purin, moutarde,
Ne veut pas de sa vie, où le monde retarde,
Le pauvre calibré mérite seul la main,
L'autre devra mourir, avant-hier ou demain
Est une même chose, une horreur vertueuse
Qui rassure bourgeois ou vieillesse peureuse.
La moutarde, monsieur, comme la charité,
Se mesure d'un pot, pour l'adulte alité ;
Le purin, oui, madame, est vraiment l'or liquide
Qui fait que l'on s'amende et nourrit ventre avide,
Le pauvre bien-pensant est digne d'intérêt,
Car, seul, pour la livrée, il s'incline en son rêt,
Ah ! que meurent bientôt ceux qui, sans feuille verte,
Vont au guichet crier ! Leur cri nous déconcerte !
Ainsi la soif d'hier ou la soif d'aujourd'hui,
De la même souffrance au noir soleil a lui,

Le dieu, la pure idole, ainsi que l'athéisme
Saumâtrement promet même terreur, même isthme
Pour pénétrer, toujours, vers ce trop bel éden
Qui se dessèche au loin comme le port d'Aden,
Que l'on ferme toujours à l'étrange souffrance
De qui n'est pas d'ici, bizarre turbulence !
La promesse toujours miroite ! C'est en vain
Que tous voudraient l'atteindre. Il n'est pas de ravin
Plus profond et plus sûr que celui de Morale
Pour engouffrer le cœur et le cri qu'on ravale.
Toujours ! Toujours ! Toujours ! il n'est pas d'avenir
Qui ne laisse au printemps d'atroce souvenir,
Le futur aussi bien redira la promesse,
Ce mot que l'on répète et qu'on foule sans cesse,
Toujours !... Mais le cœur meurt de répétition,
Comme le corps meurtri sous l'inanition,
Et l'âge se répète, et la race maudite
De qui renie un sang où la vie est mal dite,
Recommence ! L'espoir fleurit alors, nouveau,
Mais la déception remplit le caniveau.
Car l'homme pour un homme a trop souvent la haine
De son espèce, hélas, c'est la même rengaine,
Depuis les temps anciens il n'est pas de progrès,
Si le bateau s'en va, ce sont mêmes agrès,
De lui-même bourreau, l'homme se veut hunnique,
A l'appel d'Attila, pour le crime cynique,
Pour espérer aussi qu'un peu plus de douceur
Viendra de cette trace adoucir la noirceur.
Et tout est reparti vers cet espoir qu'on dore,
Toujours le paradis est le dieu qu'on adore,
Plus que l'idole dure au cœur toujours sanglant,
Plus que divinité de martyre élégant,
C'est soi-même qu'on aime, et le genou se plie
Pour recevoir pour soi la promesse accomplie.
Qu'importe le vrai dieu. Qu'importe ! Un charlatan
S'il redonne la joie, en son triste mitan

Convainc quelque fidèle, et sa parole fausse
Elle-même peut faire en son espoir la hausse
De celui qui recherche, ô consolation,
Le bonheur, ce grand mythe où meurt tout, nation,
Avenir, dignité. La souffrance vaincue
S'éparpille à chercher sa gloire convaincue,
Si ce n'est pour donner un instant de bonheur,
Un peu de vie humaine au lamentable chœur
De larmes, de regrets, de chagrins, et j'en passe,
Qui, jusque dans la mort, hélas, tant nous tracasse.
Oui, le dieu, peu sensible, aura toujours sa loi
Pour vivre, mais l'humain est d'un tout autre aloi,
Il est saisi d'effroi quand le culte est atroce,
Qu'on attache sa chair au trop divin carrosse,
Il n'est pas fait, c'est vrai, pour mourir sur l'autel,
C'est le repas du dieu, son plaisir immortel ;
Ah, pourquoi faut-il donc inventer cette histoire,
Pour souligner un sort par trop aléatoire !
Le dieu, qui meurt aussi, dans sa religion,
N'a pas su, pour son nom, faire contagion,
Ceux qui l'ont défendu sont morts de leur vieux crime
Et l'inquisition, pour rien, tue et nous brime.
Plusieurs fois, le vieux temps, chercha, pour s'élever,
A cultiver science au jardin, sans laver
Le courroux du ciel noir et de la pluie obscure
Où s'enfonce un désastre à la raison peu sûre,
Civilisation, ton appel est mortel,
Car la cité de l'homme, ainsi que dieu, que tel
Sommet que l'on élève au niveau du nuage,
S'affaisse en son rempart, de colère peu sage,
Un jour ou l'autre. Et l'on maudit le cri soudain
Qui menace le trône, et l'autel, et le daim !
La horde du désert, en son espoir barbare,
Détruit la citadelle et la colonne rare,
La ruine sanglante est gage d'avenir,
Le cheval, fou de peur, ne peut plus que hennir,

Le chariot vaincu verse son or en route,
Et la religion ne connaît plus de doute,
On convertit par force au nouveau panthéon,
Quand la robe de lin devient le pantalon,
Quand la barbe qu'on frise est devenue hirsute,
Et le palais noirci remplacé par la hutte.
Oui, toujours le désert, ignorant de tout l'or,
Apaise la querelle. Avec tambour et cor,
Sa fanfare féroce a surmonté le sort,
Car ses enfants vainqueurs n'ont connu que la mort,
Pour convaincre la plaine où l'arbre se cultive,
Quand la mollesse a fait sa force trop chétive.
Alors, qu'importe au ciel le tribunal, la loi
Dont la colère est triste, en son mauvais aloi,
Doit attendre à demain de redire le crime
Pour éponger le sang dont la gloire s'anime.
Le crime ? C'est celui de l'ami du vaincu,
Qui n'a pas su, le pauvre, être moins convaincu,
Car il fait brusquement pour le dieu, pour le prêtre,
Figure de bandit, d'abominable traître,
C'est pour lui que déjà s'avance le bourreau,
Et la fosse qu'on creuse en atroce terreau.
Civilisation, dès que paraît la guerre,
Suspend de la douceur le rythme, qu'on n'a guère,
Et la loi martiale est le plus sûr tourment
Contre le citoyen, ce pantin pour qui ment
La législation, qui lui promet, paisible,
Un autre sort, ma foi, que de servir de cible.
Mais la loi du combat, en faveur du vaincu,
Est un vœu sans effet, soyez-en convaincu,
On mitraille un convoi, l'on bombarde une ville,
Et la bombe atomique est de terreur servile.
Hiroshima ! Ton nom, après Honolulu
Vengeait de Pearl Harbor ce que l'on avait lu !
Deux grands peuples faisaient la guerre, souveraine,
Et les civils payaient le fruit de cette haine...

II

Pour pouvoir punir, il faut savoir commander, et garder toujours deux gouttes de pitié dans le cœur.

II

Quand le soldat meurtri, lassé de la déroute,
Traînant ses pieds sanglants au rebord de la route,
Rencontre au coin d'un bois la femme au cœur pervers,
Qui, pour un peu d'argent, s'allonge d'un revers,
Il est si seul, si nu dans l'affreuse détresse,
Que le geste impudique est comme une compresse
Sur son corps trop brisé pour discerner encor
Ce qui fait le commerce ou l'amour. O décor
Savamment dépecé par une triste guerre,
Où, lugubre, le vent d'apaisement n'a guère,
Jette au front de tout homme un peu moins de regret,
Si tu veux que l'on passe, et ne fasse d'arrêt !
L'amitié, qui se dresse au coin d'un pareil site,
Appelle le désir ; son mensonge est redite,
Mais c'est le seul appui, qui reste. O noir sillon,
Fait d'amour mensonger, cache bien ton haillon,
Il est baigné de pleurs qu'a reçus le grand saule,
Quand le mâle, déçu, n'a plus trouvé d'épaule

Tiède au bord de l'abîme où nage le dégoût,
Sordide comme l'est le noirâtre ragoût
Des troupes que l'on craint. Mais tout n'est pas que reître
Au rougeâtre horizon, quand on les voit paraître,
L'homme aussi d'une larme est parfois harassé,
Mais il n'a pas le droit, c'est déjà du passé...
Et soudain se déchaîne enfin la soldatesque,
S'il manque à son destin, dans sa fureur tudesque,
La femme qui se vend pour une garnison,
Si la ville résiste au mortel horizon
Trop longtemps. Oui vraiment cachez-vous bien, madame,
Car la troupe du sac est d'une ardente flamme,
Le cri trop féminin n'émeut plus le cœur sourd,
On prend ce que l'on trouve, et le râle est trop court...
Tel est l'homme, ce mâle à la clameur superbe,
Quand le fer et le feu font une atroce gerbe,
Lui qui, le matin même, était sur le sofa,
Avec une odalisque, Hortense ou Josépha,
Blême et l'œil noir rougi de la larme furtive,
Devant ses compagnons n'est plus l'ombre émotive,
Tous ensemble ils vont braire en immense troupeau,
Tuer pour violer, ivres jusqu'à la peau,
Et l'on n'a plus alors que le vrai rut des bêtes
Qui se heurtent soudain pour commencer leurs fêtes.
Oui, l'homme est tout cela, timide et courageux
Sans limite, la brute ou le pâle ombrageux,
La femme, en sa douceur qui cache bien son âme
Doit ruser, ingénue, avertie ou l'infâme,
Car c'est par son esprit qu'elle lutte et combat
La trop virile force où se monte son bât.
Elle devait déjà, par noire Préhistoire,
Pour vivre et subsister, ô temps aléatoire,
Suivre le fier guerrier qui portait à son bras
Le gros morceau de viande ! Arrive et tu l'auras,
Suis-moi, femme bavarde, et regarde ma force,
Disait l'adroit chasseur en sa trop rude écorce !

Sinon, on le voyait tirer par les cheveux
Au détour du chemin, celle qui, sans aveux,
Ne cherchait pas encor, pour la chasse, un complice,
A qui donner son corps, ô l'adroit sacrifice !
Toujours, l'être qui n'a pas la mâle vigueur,
Doit plier pour survivre et se donner sans peur,
C'est la loi du destin, cynique en l'amertume,
Et le regret n'est là qu'une crainte posthume !
La force est pour le droit le vrai maître avant Dieu,
Après, on peut parler, ou manier l'épieu !
Il ne faut que la femme en garde de rancune,
Car l'homme est avec l'homme un loup. Oui, que chacune
Sache se dominer, c'est ainsi que l'humain,
Tantôt masque de fer sous la loi de l'airain,
Tantôt cœur pitoyable aux bras de sa maîtresse,
Domine, ou bien fomente, une active faiblesse.
C'est le lot de l'esprit, c'est le lot du combat,
D'être seul, d'être dur, atroce célibat,
Ou de vouloir la femme et son charme qui flatte,
En lui contant fleurette, à l'orme, sur la latte,
Car toujours la chanson du mâle est ce qui plaît
A l'autre, qui devra de son fait, de son lait
Nourrir le fils de l'homme et savoir la souffrance
D'être mère, où le père, en son indifférence,
N'est pas incommodé, porte plus loin sa voix
Pour séduire encor plus, pour bien d'autres pavois !
La femme doit savoir le prix de sa faiblesse,
Quand l'homme, simplement, de désir se confesse !
Elle est une gardienne au sein de tout foyer,
Quand son ami s'en va pour vaincre, festoyer.
Elle est en même temps tout ce qui reste au mâle,
Quand il a tout détruit, sous le fer et le râle !
La femme fut jadis la filiation
Unique, en certitude, unique notion
Qui faisait que le fils descendait de sa mère.
Car le père, peu sûr en cette époque amère,

Ne savait pas toujours où son sang procréait,
Jeté sur cette terre où l'on aime, où l'on hait.
L'enfant, de par sa mère, avait une famille,
Son oncle maternel le prenait en cheville,
Ainsi l'homme était oncle avant que père, ô ciel,
Ce constat s'avérait plus circonstanciel,
Et le bon Oncle Sam se souvient de l'indienne,
Qui portait son enfant, squaw d'ici, canadienne,
Ou d'ailleurs, aux temps chauds marqués de la géhenne,
Dont le désir savait limiter toute gêne.
Mais la loi de la mère a plié sous le fer,
L'homme a voulu son nom, par le ciel, par l'enfer,
Pour son fils, son espoir où se sentaient revivre
Les instincts guerriers du soudard qui s'enivre.
En subjuguant la femme, il lui donnait son nom,
Ne lui laissant qu'un oui, mais pas le moindre non,
Car sa faiblesse active en faisait une esclave,
Vouée à la cuisine, à la tente qu'on lave.
Mais la femme, avec art et le subtil amour,
Dominait le sujet, le poing ou le tambour,
Sans droits elle devint maîtresse ! Qu'on pardonne
Au mâle enrubanné qui savamment salonne !
Hercule aux pieds d'Omphale était un vieux vaincu,
Plus tard l'amour courtois en fut mieux convaincu,
On créa le respect, pour masquer la faiblesse
Qui commandait, loyale ou d'une main traîtresse ;
C'est ainsi que s'ouvrit l'ère des plus beaux droits,
Par la ruelle, habile en ses chemins étroits,
A faire de son lit un lieu de confidence,
Où conspiration connut la suffisance.
Et le salon devint pour la belle un combat,
Le lieu de sa victoire, ah ! foin du célibat,
C'est là que l'on faisait le vieux jeu politique,
Ou le goût littéraire, ou le style artistique,
Il n'était pas besoin, alors, d'aller voter
Pour connaître la femme où se faire mater,

Le baise-main était une arme redoutable,
Et son refus soudain vous laissait lamentable,
Il fallait bien, mais oui, demander son pardon,
Même un vieux militaire en fut mort d'abandon.
Ce fut le temps fameux de la guerre en dentelle,
Avec les cheveux longs, bagues ou bagatelle,
Le mâle enrubanné commandait doctement,
La piétaille marchait, courage qui ne ment,
Tirez donc les premiers, et la capote, anglaise,
Couvrait tout aussi bien sous la marque française,
La guerre ? Voyez donc, près du champ de navets,
On tira le canon ! Et pour d'autres chevets,
D'autres lits, d'autres cris et d'autres colonies,
On cherchait son armée, aimable aux agonies.
Il fallait un bicorne où le coquin de sort,
Se découvrant soudain, vous saluerait la mort,
Car l'on était poli dans ce temps-là. La grogne
Etait cri de grognard, non bon mot de Gascogne,
Qu'importait la raison, qu'importait le traité,
L'invalide avait bien le temps d'être alité.
Mais les officiers bleus, moins qu'un officier rouge
Avaient d'avancement, sous le soleil qui bouge,
Il fallait de naissance être héros, c'est sûr,
La Royale elle-même, en connaissant l'azur,
Marinait en chantant le nom fier, ô victime,
Quand, dans la Sainte-Barbe, explosion anime.
Mais l'on ne peut toujours faire la guerre ainsi,
En se montrant courtois comme amoureux transi
Qui cache au fond du cœur le sentiment superbe
Que ne saurait montrer un rictus non acerbe.
Car toujours le progrès, de sa maussade main,
Menace savamment la chaleur de l'humain ;
Bientôt, le fer, le feu, reprirent plus atroces
Qu'aux temps faits des bons mots des aimables carrosses.
Comme en le ciel antique, où la horde en courroux
Déferlait sur la ville en traçant sillon roux

Avec l'épieu, la lance, l'épée ou bien la flèche,
On revit l'ouragan dont la flamme se lèche,
L'obus, le bazooka, l'appel sourd du canon,
Acquirent désormais un sinistre renom,
La superforteresse, en bombardant la terre,
Laissa de son vol lourd le long frisson qu'atterre
Le cri glauque et muet du sanglot de la mort,
Quand il n'est plus d'espoir, qu'on est au bout du sort,
Qu'à l'ennemi s'ajoute une guerre civile
Et les atrocités de la gloire servile,
Le vaincu qu'on torture et qui jette en mourant
Le cri de chaque haine, un cri désespérant.
Après, ce n'est pas tout, on tue au coin des rues
Le vainqueur du moment, les meurtres sont charrues
Des exécutions qui se veulent cohues
Pour venger les soldats morts, un soir, quelles vues,
Par balle dans le dos au trop noir carrefour,
Qui pour eux fut aussi le plus atroce four.
On aligne l'enfant dans les bras de sa mère,
Et la file d'attente, en une mort amère,
Voit tranchée aussitôt la vie en son espoir,
La jeunesse et le cri qui s'apaise en tel soir.
Ah ! la haine qu'engendre un geste inexpiable
Ne se peut oublier avec un mot aimable,
C'est trop de souvenirs au cœur qui pleure encor,
De frisson de dégoût quand on rêve, ô décor,
De poings tendus, lassés, sous la larme qu'on hume,
La mère avec l'enfant, sur la terre, à la brume,
Mourant le cou tranché, le petit dans les bras
De celle qu'aussitôt, ô sabre, tu tueras,
Parce qu'elle était noire et qu'il fallait un crime,
Que le blanc n'a pas su, quand la terreur anime,
Protéger sa compagne et le petit enfant
Qu'il lui fit quand sonnait du combat l'olifant.
Quand le sort est jeté, quand on lève le sabre,
Il sort deux jets, soudain, au ras du cou que cabre

Le geste d'agonie et de détresse au ciel,
Sur la terre maudite au décor irréel :
L'artère, avec la veine, est aussitôt tranchée,
Pas un cri ne surplombe une terreur hachée
Par ce geste de l'homme à l'égard de l'humain,
La femme, avec l'enfant qui la tient par la main,
Doucement, dans ses bras, en attendant le crime,
Au hasard d'une loi que la menace anime,
Ah, ne pouvoir rien faire, être lié soudain
Pour regarder la farce habile comme daim,
Farce sanglante, hélas, et savamment agile,
Où basculent les corps dans la grouillante argile,
Ne plus sentir la femme avec son doux regard
Porter le fruit de l'homme, en un rictus hagard
Dire adieu d'un clin d'œil, dire papa je t'aime,
Petite fleur meurtrie où la terreur essaime,
Et voir son enfant noir mourir dans le fossé,
C'est l'horreur, ce n'est pas le col noir, compassé
Que l'on aurait porté dans le moindre village,
C'est le hérissement de la guerre en usage !
C'est ainsi que le veut le hasard du destin,
Quand se meurt la raison, quand sonne le tocsin
Du bon sens, de l'amour, sous la loi martiale
Qui frappe le passant de terreur glaciale.
Plus tard on reverra la justice et le droit,
Plus tard le glaive ira, plus mince et plus adroit,
Garnir la panoplie, et le visiteur sage
Saura, fort doctement, quel en était l'usage,
Avant de s'empiffrer de quelques petits fours,
Conduisant ses enfants au coin des carrefours,
Vers le marchand, furtif derrière sa vitrine,
Au milieu des jouets que déjà l'on devine !
Mais l'autre, le maudit, l'enfant noir du combat,
N'aura su que menace et le coup qui s'abat,
Il a tendu la main, cette main innocente
N'a reçu que la mort, une mort trop savante

Pour parvenir au cœur de son étonnement,
Il est mort sans savoir ce que valait son crime
D'être né, d'être noir, par une loi qu'on grime
Pour l'horreur d'être fort, de donner le tourment,
De n'en pas convenir, d'une voix qu'on étonne
En pleurant un maudit que le printemps pardonne !
Pour l'amour, ce fauché du printemps, de l'espoir,
A quoi bon dire un mot, quand sombre un pareil soir,
Quand s'efface le cri de la tendre compagne,
Dont le doux souvenir est un sanglot de bagne.
Ce couple qui devait, au-delà, maintenir,
Vaincre la faim, la race et toute la misère,
Et pour chaque couleur n'avoir que main sincère,
Malgré la route absurde au coin du devenir,
N'a pas su, dans l'exode, avoir de quoi tenir,
Il est mort du destin qui menace la haine,
L'homme est seul. D'un sanglot il chasse cette gêne,
Mais son cœur ne peut pas oublier son enfant,
Oublier cette mère, souvenir étouffant,
Il se dit que son fils, s'il avait pu survivre,
Serait chair à canon, car vingt ans de ce givre
N'ont pas glacé sa main qui serre un désespoir,
Glacé son œil fermé qui revoit dans le noir,
Mais il cherche, ô muet, un enfant qu'on maillotte,
Et ce serait un homme, un dur, un patriote,
Qui pousserait le verre à côté du fauteuil,
Pour que le vieux soldat connaisse un autre accueil
Que celui du maudit au pied de sa paillotte.
Mais toujours le printemps connaît le renouveau,
Son cœur saigne de rose au plus noir caniveau,
D'autres cris, d'autres jeux d'une accorte jeunesse,
Sans souci d'avenir, banniront la détresse,
L'innocence est sacrée, et la plus belle fleur
Croît sur l'affreux terreau du plus affreux malheur,
Le crime sert d'humus pour d'autres renaissances,
Celui qui pleure est trop pour toutes quintessences,

Et le rire s'envole ainsi que le chagrin,
Quand fuit la robe blanche au coin du boulingrin.
Qui dira : c'est ici que la mort éternelle
A tranché dans l'amour, dans l'enfance si belle
Qu'elle croyait déjà dans le soleil qui luit,
Qui brillait autrefois, dans la plus belle nuit,
Et qui pourtant n'a vu pas luire son étoile,
Mais le destin noirci dans la plus sombre toile !
On rira, s'écriant : grand-père a sa raison,
Qui le fait braire au loin comme le vieux grison,
Il veillit il redit toujours la même chose,
Ce n'est pas amusant, oui, ce n'est pas bien rose,
Il vaut mieux s'embrasser, il vaut mieux rire encor,
Que pleurer pour le vieux, titubant sur son cor !
Car la vie est ainsi, toujours se renouvelle,
En un jaillissement de vigueur éternelle,
Ce que sait un aîné, pour le jeune n'est rien,
Comme le vieux faisait pour son père et son bien,
Sans prudence, la joie anime la jeunesse,
En attendant la mort, ô rigueur, ô rudesse,
L'espérance est la force au rire d'un moment,
Comme le souvenir elle passe, elle ment,
Déjà la guerre est là, l'espoir qu'on civilise
Au coin d'une ruine avec terreur s'enlise.
Indochine ! Indochine ! Un peuple massacré
N'a connu de la paix que le combat sacré,
Le faux semblant toujours a menacé la route,
Et transformé la ferme en maussade redoute,
La France en est partie, et pourtant nul espoir
N'est descendu du ciel avec le vent du soir,
C'est plutôt la noirceur d'un trop noir crépuscule
Qui ronge le printemps comme pâle scrupule,
Le blanc, le noir, le jaune ont connu le bourreau
Sur ce sol labouré par l'obus, ce terreau
Où trente ans ont meurtri la vie et l'espérance,
Comme un hymne odieux du dieu de la souffrance.

Il est d'autres pays dont le nom est un glas,
Dont le monde meurtri pour rien se montre las,
Car toujours l'incendie à leur nom recommence
Et c'est de cris maudits que leur peuple ensemence,
L'Allemagne, est, hélas, un grand peuple vaincu,
Que les crimes du temps n'ont pas bien convaincu,
Mais qui pleure le sort de deux tristes défaites,
Où l'Europe a frémi, dans ses rages surfaites,
Où le monde a tremblé, de haine et de dégoût,
Crachant le nom d'Hitler au sinistre bagout.
Pourtant, ce peuple fier était un philosophe
Dont la pensée ornait le monde avec l'étoffe
D'un devenir ouvert sur le beau, le travail,
Sur l'art, et non sur l'ombre. Immonde soupirail,
Il a suffi d'un homme allumant le racisme
Pour voir flétrir cela d'un affreux paroxisme.
Israël, ô pays de ses voisins maudits,
Lutte contre l'arabe, appelle des édits
Qui veulent qu'au désert et plus loin que la Perse,
Depuis l'antiquité, son espoir l'on disperse,
Car toujours sous ses pas s'allume un désespoir,
S'il veut rester ici, cultiver un terroir,
Pour ne plus tant errer à l'horizon maussade
Qui le menace ailleurs, d'un geste aussi nomade.
C'est à nous, juif errant, de creuser ce sillon,
Lui dit-on, gens d'ailleurs, quittez la région,
Vous n'avez pas de Dieu reçu la moindre terre,
Errez comme Caïn, furtif et solitaire,
Les gentils sont chez eux, vous, vous êtes maudits,
Il n'est de peuple élu, le sage le redis,
Allez, partez, cherchez pour votre pénitence
Où le désert est seul, dans l'atroce silence,
Si vous avez commis le crime d'être nés
Sans maison, restez-y pour toujours condamnés !
Que ces mots malheureux, que disent d'autres hommes,
Font honte à nous, humains, à tous tant que nous sommes,

Un jour, peut-être bien, hagards nous errerons,
Si l'on nous traite ainsi, bien sûr nous en mourrons,
Alors il ne faut plus maudire encor le frère
Qui n'a pas le bonheur de pouvoir satisfaire
L'humble désir d'avoir un toit pour son enfant
Quand sonne le tocsin, quand sonne l'olifant
De l'orgueil qui détruit pendant que l'on raisonne,
Et que l'airain lugubre en son frisson résonne .
Pourtant, l'Arabe aussi, l'ennemi d'Israël,
Souffre d'un déplaisir qui n'est pas irréel,
Il veut rester chez lui, peupler la même terre,
Et c'est là tout le drame où le monde s'atterre,
Deux peuples pour un lieu, pour même région,
Chacun croyant chez soi subir contagion
De haine, de mépris, de rage, de massacre,
Est, pour tout Canaan, un triste et sombre sacre,
Puisqu'ils ne peuvent pas être une nation
Unique en son désir, superbe notion
Qui s'efface aussitôt devant le droit de race
Ou de religion, ou de ferveur vorace
Pour ce même pays, pour le même décor,
Que la tiédeur arrive aux sables sang, comme or,
Ah, pourquoi donc faut-il qu'une piété si belle
Se divise par deux, et croit l'autre rebelle,
Oui, l'homme pour un homme est-il vraiment de trop,
S'il a même visage et prend même galop,
C'est ce qui fait le monde et le fond de la crise
Qui s'allume soudain en une ardente frise,
Depuis que l'homme est homme et qu'un nom civilise
Le geste du semeur qui chaque graine enlise.
Alors, le cri strident reprend comme au départ,
Partout sur cette terre, ou bien de nulle part,
Il faut qu'on tue, ailleurs qu'on meure sur la route,
Foule qui se dévore et veut qu'on la redoute,
Rien n'est stable ici-bas en cette vérité,
Sinon qu'on la recherche, et qu'on est alité

De souffrir aussitôt pour haïr la patrie
Du voisin, qui pourtant n'est que de chair pétrie
Comme nous du désir d'élever sa maison,
Comme tour de Babel, au mortel horizon.
Mais la confusion rend notre faim cruelle,
Civilisation ne peut être éternelle,
Le progrès qui s'avance est une longue faux
Qui fauche dans le champ où l'espoir est un faux,
Pour tant de peuples las, pour tant de pauvres hères
Qui voudraient reposer leur tête sur les pierres
Du chemin qui sans cesse écoule ses torrents
De sang, de boue aussi, mais fuit comme le temps,
Comme le temps qui coule et ne jamais s'arrête,
Malgré le souvenir, malgré la sombre crête
De la montagne noire où souffrirent les dieux
Avant de disparaître au bruit sourd des épieux.
Mais si la guerre était une grâce divine,
Il fallait que sur terre un peuple le devine,
Le pauvre combattait le pistolet du chef
Dans le dos. Par devant, l'ennemi derechef
L'ajustait de son mieux, en la cruelle combe
Du bon : serrez les rangs ! à chaque trou de bombe
Zébrant le régiment, en zig-zag, pour la tombe,
Que ne relâchait pas la rumeur que l'on plombe
Car on ne savait rien du grand état-major,
Ni pourquoi l'on mourait, s'il fallait vivre encor,
Toujours le fantassin, marcha-t-il en cnémide
N'a jamais su le fonds, cruel ou bien timide,
Où l'on puisait la loi, furtive au triste sort,
Qui donne à tout soldat son billet pour la mort.
Ah ! maussade regret, ah ! trop subtil usage,
Qui nous fait soupirer pour l'affreux paysage,
Quand l'arbre tend ses bras mutilés et noircis
Et que l'homme comprend qu'il va tomber, occis
Sans plus de souvenir et de regret qui vaille,
Sans qu'on s'abaisse encor pour d'autre funéraille

Que celle du destin, qui mourut comme aurochs
Faute de s'assagir, glauque, dans le grand box.
Oui, l'homme qui grandit rêva dès son enfance
De bataille gagnée, exempte de souffrance,
C'était là jeu d'adresse avec ses compagnons,
C'était l'apprentissage où nous accompagnons
La vie. Ainsi s'en vont les futiles risettes
Qu'on fait sous la tonnelle avec d'autres Lisettes,
Si déjà la mémoire en garde le regret,
On tend pourtant vraiment le poing pour d'autre rêt,
La fillette s'amuse avec une poupée,
Le petit mâle est fier de sa force occupée
A triompher soudain, quand les jeux de l'enfant
Préludent d'autres jeux, dans le soir étouffant.
Et l'on sourit gaiement, quand, au creux de la lande,
Débouche avec ses cris quelque joyeuse bande.
Oui, l'homme apprend d'abord à garnir le tombeau,
Avant le goût d'aimer, avant le goût du beau,
Ah ! pourquoi s'étonner que du sang le noir sacre
Soit l'aboutissement d'un pareil simulacre,
Ce n'est pas à polir une œuvre pour son art
Que le petit de l'homme active son retard,
Mais à détruire, ô ciel, ce qui gêne sa force,
Et sa race d'abord, en sa trop rude écorce.
Alors, il s'est enfui, comme un Caïn maudit,
Cet homme sans regret, chef autant que bandit,
Il a peuplé le monde au rictus solitaire
Pour mieux le défoncer, pour arroser la terre
De sa rage invaincue en la conviction
Que force prime droit, en toute ration !
Pour cela son esprit inventa toute chose,
Civilisation en parut moins morose,
Mais ce fut pour tout perdre, ô château qui se tord
Quand la ruine fume au destin qui la tord,
Quand le désert reprend son droit insatiable,
Que le palais s'écroule et redevient de sable,

Comme le dieu lui-même, un instant adoré,
Dont le culte s'effrite au temple mordoré
Dont le pilier se dresse en un rictus énorme
Vers le ciel, dégagé de la savante forme,
Du plafond qui peuplait le rêve du gisant
Avec son démon fier d'être le seul brisant ;
L'enfer est sur la terre, il n'est d'ombre bénie
Qui ne recèle un jour une terreur honnie,
Le roseau cesse enfin de façonner l'écrit
Quand le temps révolu du destin l'a prescrit.
Chronos, le dieu du Temps, pour Mémoire est prolixe,
Sa confidence aida, dans la fameuse rixe
Où se gagna jadis le diplôme d'Ochus,
Les filles de Mémoire, enfants non de Bacchus,
Ni d'Apollon, ma foi, filles de Mnémosyne,
Toutes neuf, admirant le don de sa voisine,
Muses que le cœur aime et qui firent chaque Art,
Qui firent la Science, en laissant au hasard,
Le rythme que le cœur donne à chaque métrique,
Nombre d'Or du destin, subtile arithmétique,
Où la légende, aimable et belle en son matin,
Habille de regret la genèse, ô destin,
Pour mieux la conserver quand le buccin entonne
Le chant sourd des licteurs si le jaune airain tonne,
Chant de Léonidas, en son noir défilé,
Mort pour le monde libre où l'espoir est allé !
Pourtant, le Perse aussi connaissait la clémence.
Avec la liberté de travail, quelle avance,
Mais le Grec au clairon déjà républicain
A su pour notre Europe armer le baldaquin
De l'idéal, qui dure avec notre humanisme
Et teinte de ses ors par ici l'héroïsme.
Alors, n'oublions pas le monde oriental,
Qui doit faire l'effort, par dessus le mental,
De comprendre nos dieux, de comprendre la cime
Qui jusqu'auprès de lui savamment nous anime,

Alors qu'il a son cri, sa chance et son courroux,
Son panthéon caché sous les feuillages roux,
Sa souffrance qui marque au front tous ses prophètes,
Dont, hommes d'Occident, bon usage vous faites,
Alors, quand le soir tombe auprès des feux croisés,
Pour un nouveau combat effritant les pisés,
N'essuyons pas la haine au revers de la manche,
Voyons les minarets sans chercher la revanche,
Le cœur de l'homme admire un paradis perdu,
Par là, c'était l'Eden, s'il n'est pas confondu
Avec le cri de guerre, en cette parabole
Qui redonne au destin une douce parole,
Jadis la pomme était de Discorde ou Serpent,
Qu'elle soit fruit d'Amour au plus modeste arpent.

III

CONCLUSION

Il faut se piquer d'être raisonnable, et non d'avoir raison.

III

Auprès de sa maison, dans sa plus belle enfance,
L'homme, de ses parents, apprend la différence
Qui fait la quiddité des choses qu'il perçoit,
C'est le vrai sentiment où mûrit son exploit,
C'est un pur préjugé, mais l'instrument superbe
Qui soulève le monde et fait jaillir la gerbe
Des feux d'intelligence en son hœccéité,
Outil qui s'introspecte et fuit la cécité,
Par lequel nous tenons dans l'esprit, dans l'audace,
Pour l'humanisme vrai, l'orgueil de notre trace,
Hommes de l'Occident, de la Grèce et d'ici,
Face à cet Orient qui veut savoir aussi,
Et pour ce faire apprit ce que la vie éduque
A d'autres souvenirs, dont la voix n'est caduque,
Mais qui ne parle pas d'accord rationnel
Avec notre raison, par le mythe éternel !
Il ne faut pourtant pas que chacun se méprise,
Se serait là faconde et fatale méprise,
La sensibilité commande notre esprit,
Cette corde de l'arc est ce qu'il faut qu'on prit.

Alors notre raison, avec la tolérance,
Pourra tout surmonter, l'échec et la souffrance,
Pour chercher l'au-delà dans une vérité
Qui se dérobera dans toute sa beauté,
Pour laisser de son pan des paillettes, des traces
Pour quoi notre désir vaut mieux qu'ombres voraces,
Car l'homme est fait d'abord, dans son humain travail,
Pour rechercher toujours l'ultime soupirail,
Et non pour posséder, dans le trésor suprême,
La fin de son effort et de tout ce qu'il aime,
Cet amour de trouver, qui ne se borne pas
A mettre pour toujours le pas dans d'autres pas.
Il suffirait alors, comme font les insectes,
D'avoir société figée en quelques sectes,
De renoncer, pour vivre, à saisir le remous,
Et, dans l'utilité, mourir comme bruits mous ;
Non, l'homme est imparfait plus que reine termite,
C'est ce qui fait son front, sa recherche et son mythe,
Le désordre est l'espoir d'un devenir meilleur,
Pour que naisse un savant, il faut plus d'un malheur,
Mais c'est une espérance, une audace, une joie,
C'est mieux que le pas lourd, et cadence de l'oie.
La science d'abord se meut pour le combat,
Tuer son adversaire est le premier débat,
Pour ce faire, il faut bien que cervelle enjolive
La force naturelle en sa terreur naïve,
Le lance-pierres est mieux que le caillou pointu,
Et son invention est comme une vertu
Qui promet à l'humain l'art de la balistique,
La flèche et la tortue ont la saveur antique
Du vieux Zénon cherchant à nier mouvement,
Car attendre une proie est un geste qui ment
Si le sophiste adroit, en saisissant le leurre,
Nous montre qu'il n'est rien, un semblant qui s'apeure.
Oui, la philosophie, est née, avec le sport,
De la Grèce où montait la recherche du sort,

Où l'hoplite apprenait à mieux gérer sa force
Pour être l'homme vrai, dont le courage amorce
La sagesse superbe au front stoïcien,
Le mépris du plaisir quand il n'est qu'un larcin,
Souvenir du vieux temps où sévissait la bête,
Dont l'instinct était rut, et non pas noble fête
Où le plaisir des sens doit plier sous l'esprit,
Sous peine d'être brute épaisse dont on rit !
Ainsi l'homme a vaincu la fureur animale,
Il est devenu l'homme, et la chose est normale,
Croit-on, dans l'univers il faut bien un seigneur !
Mais c'est l'exception, et c'est là notre honneur,
Ce mystère n'est pas la gloire qui s'explique,
C'est le tréfonds secret du miracle agnostique,
Avec le panthéisme, il est le ressort vrai
De l'homme qui se sent au monde le seul rai,
Qui se prend pour un dieu, dans son orgueil atroce,
N'adorant que lui-même en suivant le carrosse
De la divinité qu'il supplie au naos,
En cachant que la gnose, avec son dernier os,
Le pousse à s'adorer au-delà de la tombe,
Portant un dieu sur soi jusques en catacombe,
Le dieu seul de Socrate au rictus incessant,
Harcelant, pour mourir, le sinistre passant,
Qui se venge toujours d'être le médiocre,
Quand la terreur aiguë éventre la terre ocre
En rigole sanglante où se repaît la loi,
Ou la grande ciguë, ultime en son aloi,
Bouillon d'onze heures, mais avant-dernier emploi,
Puisqu'à douze l'apôtre est parti pour ce faire.
Ainsi l'intelligence est-elle au mammifère
Le plus beau des serments, ce dont il se réfère.
Le primate a donné l'Homme, ce super-dieu,
Qui mania le fer, qui mania le feu,
Et nul être vivant n'a pu sa peur convaincre,
Ni son instinct furtif, d'en faire autant pour vaincre.

C'est ainsi sur la Terre. En l'immense univers,
L'Esprit n'a-t-il connu, pour support, pour revers,
Que la mère tenant l'enfant à la mamelle,
Unique génitrice en sa gloire éternelle ?
Qui dit que le reptile, un vainqueur d'autrefois,
N'a pas ailleurs vaincu de plus savante fois
Qu'il ne fit ici-bas au temps du Secondaire,
Quand le grand dinosaure en était solidaire ?
Le reptile, hibernant à l'abri du Soleil,
Mieux que le mammifgère, a pu dans son réveil,
Peupler tel satellite au monde de Saturne,
Titan, dont l'homme vert, en la froideur nocturne
Serait l'Homme-Reptile ayant vaincu la nuit,
Protégé sa planète en masquant son réduit,
Pour mieux lutter déjà contre ce qui dessèche,
De titane qu'on prit sous cet anneau revêche
Du grand astre nageant dans le nuage épais
De ce gaz, qu'il est seul à fomenter en paix !
Pourquoi pas ? Qui dira si cette belle glose
N'est pas la vérité, n'est le fonds de la prose
Que l'on dépense en vain pour vaincre un préjugé,
Et dont notre idéal n'est que l'antre obligé ?
D'ailleurs, qui se souvient du début de la Terre.
Si nous ne savions par tout ce qui nous atterre
Avant qu'un cataclysme ait trop brûlé nos yeux,
Aux temps morts, inconnus, de nos premiers aïeux ?
Le grand cycle fermé du ciel préhistorique,
Par ses invasions, par sa terreur mystique,
N'a-t-il véhiculé, par la roue et le char,
Par horde peu nombreuse, avec son escobar
De service, l'Idée au mythe platonique,
La Science, cachée au creux de la tunique,
Qui ressort aujourd'hui comme du sable l'eau,
Comme pisé renaît quand pointe le roseau ?
Alors, plus loin ce cycle où la légende gêne,
Saura-t-il nous porter, comme pour Diogène

Le tonneau qui roulait sur le pavé pointu
Du préjugé tenace et de pauvre vertu ?
Saurons-nous conserver ce qui fait que l'on dure.
Alors qu'on a perdu, parfois, quelque écriture ?
L'Océanie avait signes mystérieux,
Ailleurs aussi, voyez Harappa près des dieux,
Sur l'Indus, la plus vieille inscription du monde,
S'il en est encor plus, un âge nous l'émonde,
La Crète à peine livre un message aux savants,
Que cachait une grotte, où s'ébattaient les vents,
Il nous dit que le dogme, en une foi christique,
Plus que front de Minos, gardait l'ombre mystique,
Si l'on veut bien comprendre, au grattoir des parois,
Ce que disait le scribe, esclave des vieux rois !
Oui, l'homme fut soumis à la même recherche
Qu'aujourd'hui. Qu'il nous tende ainsi la moindre perche
N'est pas douteux, partout le message muet
Se rit de notre effort à le trouver fluet,
Nous ne pouvons comprendre un avenir qui pointe
Si nous ne savons pas lire sous la main jointe
Du passé, qui souffrit, et ne savait pas tout,
Mais déchiffra la voie où nous sommes le bout.
Si par sept va le nombre au rivage céleste,
De sept dimensions il faudra la main leste
Pour comprendre les trois qui nous fixent ici.
Trinité du destin et de la Terre aussi.
Tant que cela sera ce qu'on charlatanise
Avec mépris, tandis que l'erreur s'éternise,
Nous ne sortirons pas des pauvres passions,
Et, ne réfutant rien, n'aurons rémissions ;
La vérité toujours demande qu'on dépasse
Son élan, si l'on veut bien sortir de l'impasse,
Vérité de demain, erreur d'après-demain,
Mais tout ce que j'en dis aurait tendu la main,
Au progrès, à la vie, afin qu'elle s'avance
Et ne soit pas déjà la longue survivance,

Où le byzantinisme aura notre raison,
Où le savant en us dira notre prison,
Pour qu'on s'incline enfin, seigneurs de politesse,
Sous le signe sacré lauré de petitesse,
Alors un grand espoir s'éteindra pour toujours,
Le Crime ne sera que l'appel des tambours,
Et non l'égarement d'un monde qui se trouve
En progressant, vainqueur comme enfant de la louve
Qui nourrit de son lait, aux temps qu'on a perdus,
Les fondateurs de Rome, au sillon confondus.
Oui, l'anthropophagie ou le rictus féroce,
Pour racheter l'erreur de leur saumâtre noce,
Ne doivent pas finir, dans leurs vrais débouchés,
Sur le jugement lourd pour les sanglants bûchers,
Mais plutôt sur l'appel, épris de tolérance,
Qui rachète le crime, ennoblit la souffrance,
Car si le lac des pleurs est profond au désert
De la morte oasis, près du lagon disert
Où clapote l'esprit du sage sur le sable,
Ne croit pas par la jauge, avoir, ô vénérable,
La profondeur du mal où saigna notre cœur,
Oui, les plus malheureux, au lamentable chœur,
N'ont pas pleuré. C'est vrai. Fasse que l'homme sage
Le sache et le retienne, en un paisible usage,
Aucun dieu n'a valu mieux que l'atrocité
Que l'on fit sur l'autel, quand, pour son nom cité
On appela le sang giclant de la victime,
On en fit simulacre, en un office intime,
Tout cela n'est pas vrai, tout cela n'est pas bien,
Nulle religion ne mérite en son sein
Que l'on fasse pour elle un si vain sacrifice,
Rien ne vaudra jamais, devant le pâle office,
L'amour du vrai chercheur, indulgent, sans orgueil,
Qui ne possède pas l'inaccessible seuil,
Mais qui, modestement, ne le laisse pas vide,
Quand le monde, avili, tend une main avide.

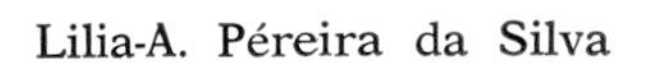

Lilia-A. Péreira da Silva

TABLE DES MATIERES

— ACHEVE D'IMPRIMER —
LE 1er JUIN 1975
SUR LES PRESSES DE
L'IMPRIMERIE CH. CORLET
14110 CONDE-SUR-NOIREAU
——— FRANCE ———

Dépôt légal : 1975/2e